めだまとやぎ

にし かなこ

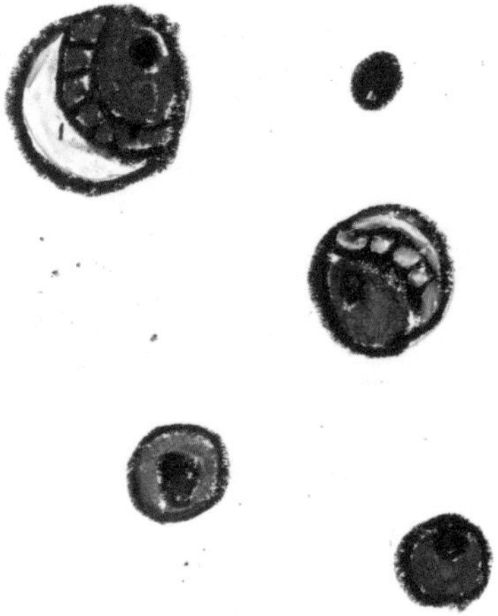

LD&K BOOKS

ヤギのさくらちゃんと、ショコラちゃんは、

おじいさんといっしょにくらしています。

「どうしてそんな目《め》なの」さくらちゃんがきくと、

おじいさんは、「どうしてだろうねぇ」とこたえます。

「そんな目《め》でみえるの」ショコラちゃんがきくと、

おじいさんは、「みえるんだよ、いがいにね」とこたえます。

さくらちゃんと、ショコラちゃんは、「ふうん」といって、

草《くさ》をたべたり、塩《しお》をなめたりしています。

おじいさんは人間《にんげん》です。

おかしな目《め》をしています。

さくらちゃんと、ショコラちゃんの目《め》のように、

くろ目《め》がよこにねそべっていないのです。

しろ目《め》のまん中《なか》に、まるくなって、どうどうと、

すわっているのです。

ある日《ひ》、おじいさんが、くしゃみをしました。大《おお》きなくしゃみです。

「ぶわっくしゅーん！！！！！！！！！」

すると、どうでしょう。おじいさんの、めだまが、とびだしてしまいました。

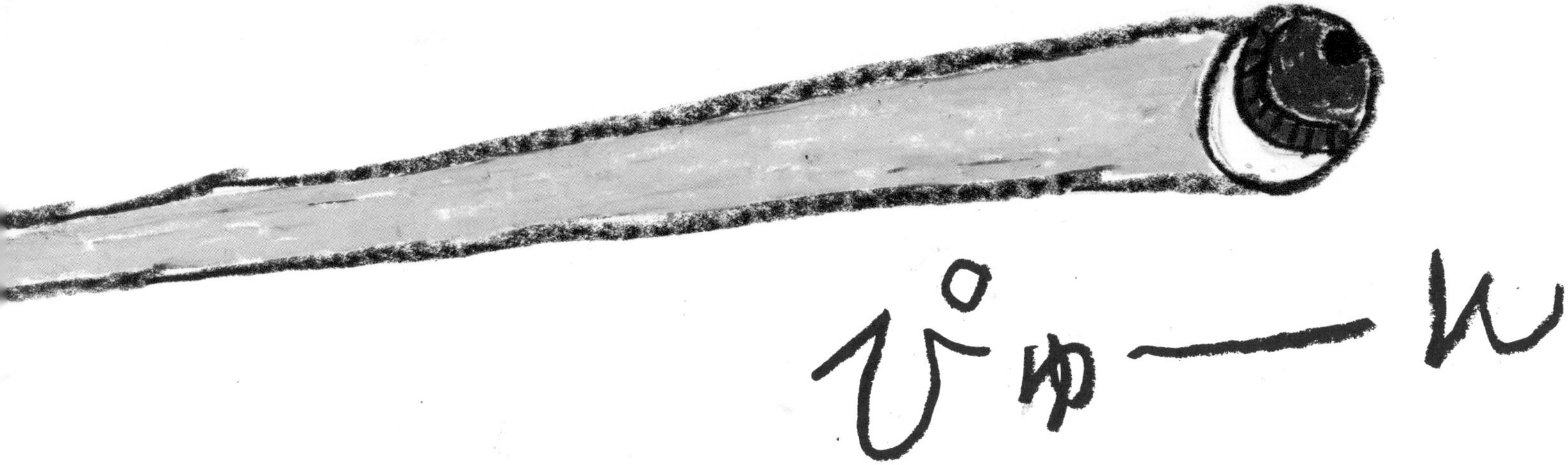

おじいさんは、

「やあこまった、めだまがとんでいってしまったよ」

といいました。

さくらちゃんと、ショコラちゃんは、「ふうん」といいました。

「さくらに、ショコラや。おまえたち、わしのめだまを、

さがしてきてくれんかのう」

さくらちゃんは、「いいよ」といいました。

ショコラちゃんは、「じゃあ、手《て》がみをかくわね」

といいました。

こうして二《に》ひきは、
旅《たび》にでることになりました。

山《やま》をおりるのは、はじめてのことです。

二《に》ひきは、のはらをあるいて、あるいて、やがて、まちにでました。

まちは、海《うみ》にめんしていて、みなとには、たくさんのふねがゆれています。

「みてショコラちゃん、あの人《ひと》たちの目《め》、おじいさんとおなじよ」

「ほんとうね、くろ目《め》がねそべっていないわね」

「あれ、おじいさんのかしら」

「きいてみよう」

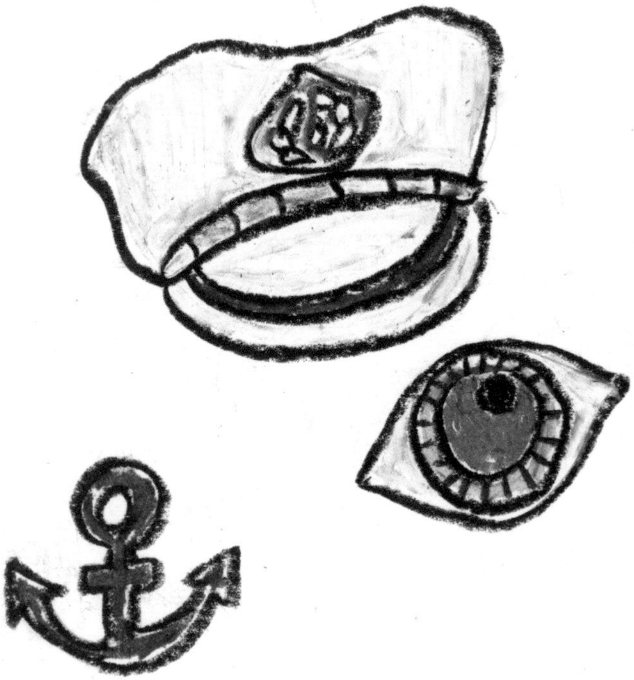

二《に》ひきは、ひとりのふなのりに、

「あなたの目《め》は、私《わたし》たちのおじいさんがさがしているめだまじゃないかしら」

と、きいてみました。

「なにいってやがる、おれのめだまは、まちがいなく、おれのめだまだ！

海《うみ》のいろをすいこんだ、エメラルドグリーンの、おれのめだまだぜ！」

さくらちゃんと、ショコラちゃんは、「ふうん」といいました。

たしかに、ふなのりの目《め》は、きれいなエメラルドグリーンをしていて、

おじいさんのめだまとは、ちがうのでした。

そのよる、さくらちゃんとショコラちゃんは、
おじいさんに手《て》がみをかきました。

『おじいさんへ　エメラルドグリーンのめだまをみつけたけれど、おじいさんのではありませんでした』

さくらちゃんは、かみがたべたくてしかたありません。

つぎの日、さくらちゃんとショコラちゃんは、ふねにのりました。

ふねにのって、べつのまちへゆくのです。

ふねのまわりを、大《おお》きなさかながはねています。

「おじいさんのめだまににているわね」

「そうね、でも、あんなに、まんまるじゃないのじゃないかしら」

さかなたちは、まばたきもせず、

じっと、二《に》ひきをみつめています。

イルカのめだまはぬれていて、タコのめだまはきもちがわるい。

二《に》ひきがついたのは、砂漠《さばく》のまちでした。

女の人は、みんな、かおにぬのをまいていて、目《め》しかみえません。

「めだまをさがすのに、ちょうどいいわね」

「そうね。あの人《ひと》のめだま、おじいさんのににていない？」

二《に》ひきは、ある女《おんな》の人《ひと》に、

「あなたの目《め》は、私《わたし》たちのおじいさんがさがしている

めだまじゃないかしら」

と、きいてみました。

「なにをいっているの、これは、まちがいなく、私《わたし》の目《め》よ。

強《つよ》い太陽《たいよう》もはねかえす、まっくろな、強《つよ》い私《わたし》のめだまなのよ」

二《に》ひきは、「ふうん」といいました。

ラクダのめだまは大《おお》きいし、

サソリのめだまはよくわからない。

そのよる、さくらちゃんとショコラちゃんは、
おじいさんに手《て》がみをかきました。

『おじいさんへ　まっくろなめだまをみつけたけれど、おじいさんのではありませんでした』

さくらちゃんは、かみがたべたくてしかたがありません。

つぎの日《ひ》、さくらちゃんとショコラちゃんは、ひこうきにのりました。

ひこうきにのって、べつのまちにいくのです。

ひこうきのまわりを、鳥《とり》がとんでいます。

「鳥《とり》の目《め》は、くろいぶぶんがおおいのね」

「そうね、あめだまみたいね」

鳥《とり》たちは、大《おお》きなつばさをひろげ、

きもちよさそうです。

太陽《たいよう》って、大《おお》きい。

二《に》ひきがついたのは、大《おお》きなまちでした。

人《ひと》がたくさんいます。

「これだけたくさんの人《ひと》がいれば、

おじいさんのめだまをしっている人《ひと》も、

いるのじゃないかしら」

二《に》ひきは、さかのうえの、あるお店《みせ》につきました。

そこでは、たくさんの人《ひと》が、お茶《ちゃ》をのんだり、

ごはんをたべたりしています。

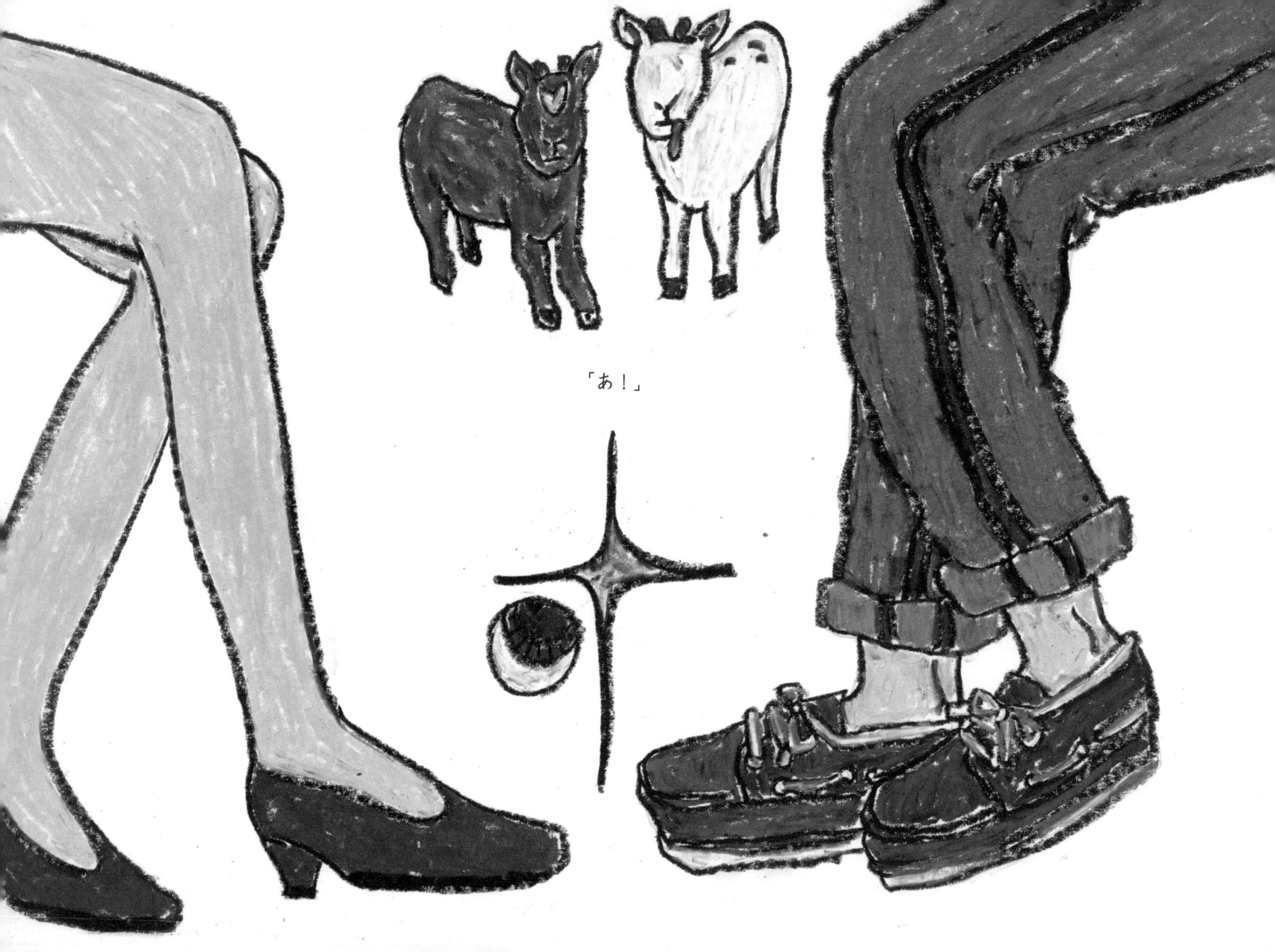
「あ！」

ショコラちゃんが、ゆかにころがっている、

めだまをはっけんしました。

「あれ、おじいさんのめだまじゃない？」

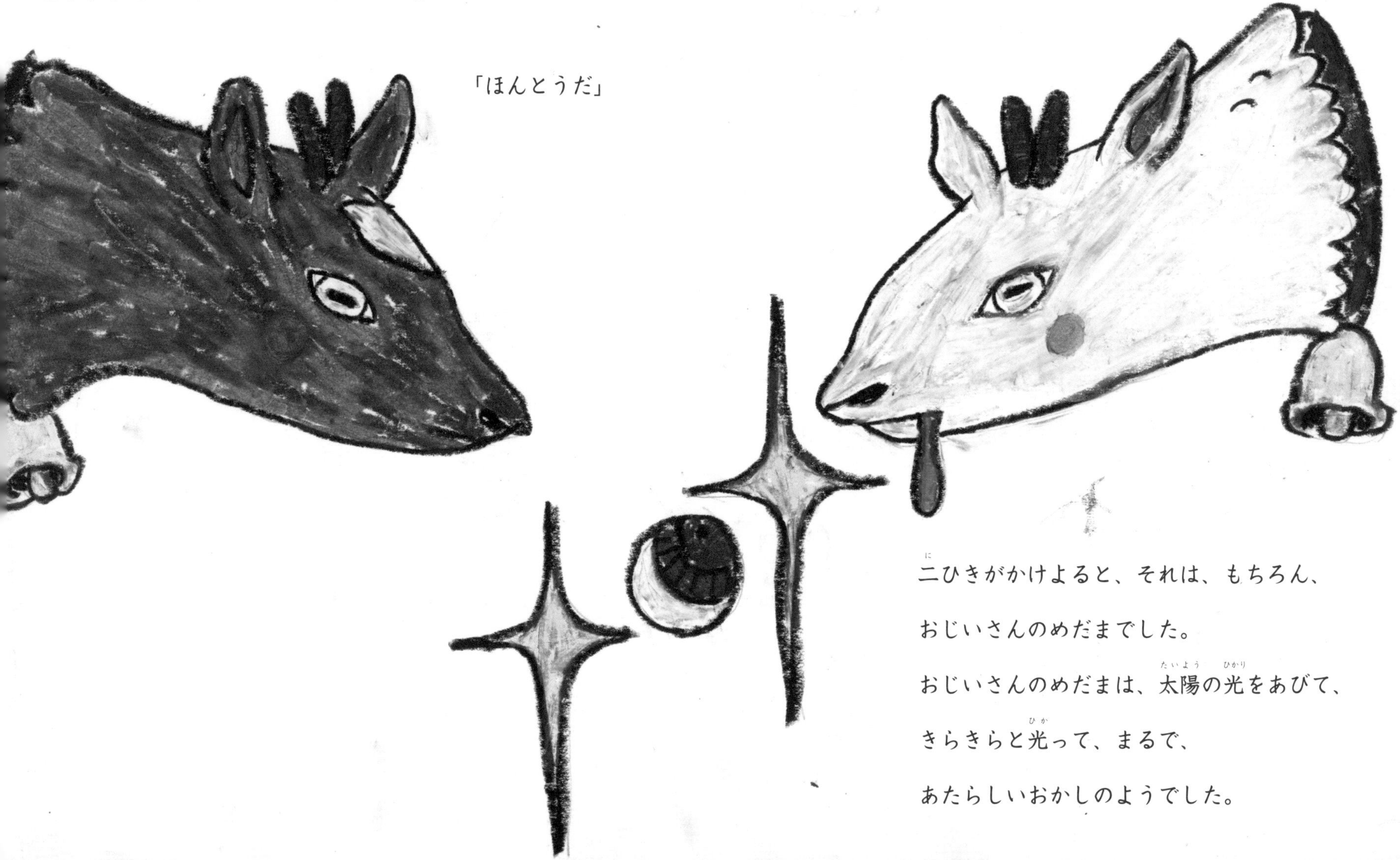

「ほんとうだ」

二《に》ひきがかけよると、それは、もちろん、

おじいさんのめだまでした。

おじいさんのめだまは、太陽《たいよう》の光《ひかり》をあびて、

きらきらと光《ひか》って、まるで、

あたらしいおかしのようでした。

「・・・・・」
ぱくっ

「たべちゃったのね」

「たべちゃったわ」

「そうなの」

「おいしかったわよ」

そのよる、二《に》ひきはおじいさんに手《て》がみをかきました。

『おじいさんのめだまはみつかったのだけど、あんまりおいしそうだから、

さくらちゃんが、たべちゃった。ごめんなさい』

おじいさんからは、へんじがきました。

『おまえたちはヤギなのに、かみをたべずに、きちんとお手《て》がみをおくってくれたから、
おじいさんのめだまをたべてもいいんだよ。かたほうの目《め》でも、じゅうぶんみえるからね』

さくらちゃんと、ショコラちゃんは、
「ふうん」といいました。

なんか、よかったね。

おしまい。

作者紹介

西 加奈子（にし　かなこ）

イラン・テヘラン産まれ。カイロ・大阪育ち。2004年「あおい」でデビュー。
２００7年織田作之助賞受賞。

桜丘カフェ　http://www.udagawacafe.com/sakuragaoka/

さくらとショコラが実在する、東京・渋谷区桜丘町にあるカフェ。
看板ヤギとして、店のテラス脇の小屋でのんびり暮らしている。
2012年春には二匹が渋谷の街を散歩している様子を追った写真集も発売された。

めだまとやぎ　　ぶん・え　にし かなこ

2012年10月30日　第1刷発行
発行元　株式会社　エル・ディー・アンド・ケイ　　発行人　大谷秀政
FAX：03-5464-7412　　e-mail：ldandk@ldandk.com　　www.ldandk.com
印刷 / 製本　大日本印刷株式会社　　Printed in Japan　ISBN978-4-905312-31-4